folio cadet ■ premières lectures

Traduction de Jean-Paul Lacombe
Maquette : Barbara Kekus

ISBN : 978-2-07-062747-9
Titre original : *Football Crazy*
Publié pour la première fois par William Heinemann Ltd., Londres,
puis par Mathew Price Ltd

Numéro d'édition : 179078
Loi n° 49-956 du 16 juillet 1949 sur les publications destinées à la jeunesse
1er dépôt légal : septembre 2009
Dépôt légal : septembre 2010
Imprimé en France par I.M.E.

Fou de football

Colin McNaughton

GALLIMARD JEUNESSE

1

Bruno était un fou de football.
Malheureusement, il n'avait personne avec qui jouer. Il venait juste d'emménager dans cette grande ville avec ses parents, et il n'avait pas encore d'ami.
C'était dimanche et il observait de sa fenêtre une bande de gamins qui jouaient sur un terrain vague.

La bande se faisait appeler
l'Ajax d'Alexandre.
Bruno les trouvait formidables.
Il regarda Alexandre passer
avec facilité le ballon à Téo.

Téo donna de la tête à Bernard qui,
d’une aile de pigeon, centra sur Robert,
lequel frappa au but de la tête.
Mais le gardien Marcel sauva le but
d’une superbe détente ! Bruno mourait d’envie
de se joindre à eux.

– Pourquoi ne vas-tu pas jouer avec eux ?
lui demanda sa mère.
– Je ne les connais pas. Ils ne voudront pas,
répliqua Bruno.
– C'est idiot. Tu es un très bon footballeur.
Allez ! Cours leur demander ! lui dit sa mère.

Bruno était assez timide, mais il prit
son courage à deux mains. Il traversa
la rue et se dirigea vers le terrain vague.

PW
TV

2

– Ohé, les gars ! Est-ce que je pourrais jouer avec vous ? cria Bruno.
Les footballeurs grimpèrent sur la palissade et le regardèrent d'en haut.
– Jouer ? Nous ne jouons pas ! Nous nous entraînons ! grogna Robert.
– Samedi, nous avons un grand match. Nous jouons contre le Réal d'Isidore. Ce sont nos plus terribles adversaires, expliqua Bernard.
– Est-ce que je pourrais m'entraîner avec vous ? supplia Bruno.
Ils se regardèrent.

À moi !
À moi !

Bong !
Ouf

Bruno !
Hééé !! Va voir ailleurs !

BEUM !

Ouf

À moi !
Hou

– On l'accepte ? demanda Marcel.
– D'accord ! décida Alexandre. Voyons un peu ce que tu sais faire.
Bruno ne fut pas brillant. Il cafouillait, trébuchait, ratait ses passes, sabotait les combinaisons de jeu et bousculait tout le monde.
– C'est parce que ça fait longtemps que je ne me suis pas entraîné, leur dit-il.

Hmm ! pas mal

– Mettons-le gardien de but, proposa Marcel.
Là, il ne sera pas dangereux.
Après s'être un peu habitué à son poste, Bruno commença enfin à s'amuser.
À la suite d'un arrêt assez difficile, Marcel lui dit même :
– Pas mal, pas mal du tout !
Bruno en rougit de fierté.

Une fois l'entraînement terminé,
l'Ajax d'Alexandre discuta de la tactique
à adopter lors du fameux match...
Alexandre parlait de couvreurs,
de buteurs et d'organisateurs.

Téo et Marcel discutaient d'attaquants et de demis, d'arrières et d'ailiers. Bernard et Robert argumentaient sur les combinaisons possibles et les pièges du hors-jeu, sur le marquage individuel et la façon de récupérer une balle perdue.

– Est-ce que je peux faire partie de l'équipe ? demanda timidement Bruno.
Tout le monde se racla la gorge, hum, hum, et Alexandre finit par répondre gentiment :
– Désolé, Bruno. C'est un match à cinq contre cinq, et nous sommes déjà au complet.
Bruno eut l'air très déçu.
– Mais, tu pourrais être remplaçant, continua Alexandre. C'est vrai après tout, dit-il aux autres, ce n'est pas un mauvais gardien de but. Si l'un de nous était blessé, Bruno entrerait comme gardien et Marcel prendrait la place du joueur blessé.
– D'accord, approuva Marcel.
– Mais il faudrait faire des progrès. Samedi, on ne pourra se permettre aucune erreur, reprit Alexandre.
– Oh ! merci ! s'écria Bruno. Ne vous en faites pas, je serai à la hauteur.
Bruno s'entraîna dur. Il voulait à tout prix s'améliorer. Il travailla chaque jour après l'école :

le lundi l'endurance,

le mardi les passes,

le mercredi le jeu de tête,

le jeudi les dribbles,

le vendredi les tirs.

Le samedi, jour du match, arriva enfin.
La nuit, Bruno n'avait rêvé que de football.
– Ce n'est pas drôle d'être remplaçant,
j'aurais voulu être dans l'équipe,
soupira-t-il au petit déjeuner.

- Tu y seras peut-être. On ne peut jamais savoir ce qui va arriver, le football est un jeu imprévisible ! lui répondit son père.
- Nous serons là pour t'encourager, au cas où tu jouerais, ajouta sa mère.

Peu de temps avant le coup d'envoi, l'équipe était au complet dans son vestiaire.
- Tiens, Bruno, enfile ça, lui dit Téo en lui lançant la tenue de remplaçant.
Elle était beaucoup trop grande pour lui, mais Bruno s'en moquait, il était si fier de porter les couleurs de l'Ajax d'Alexandre !
Soudain Alexandre annonça :
- Allez les gars, il est temps d'y aller.
- Mais je ne suis pas encore prêt, dit Bruno.
- Cela ne fait rien, reste ici au cas où nous aurions besoin de toi ! lui répondit Alexandre.

Et l’Ajax fit son entrée sur le terrain...
Une clameur s’éleva parmi
les spectateurs.

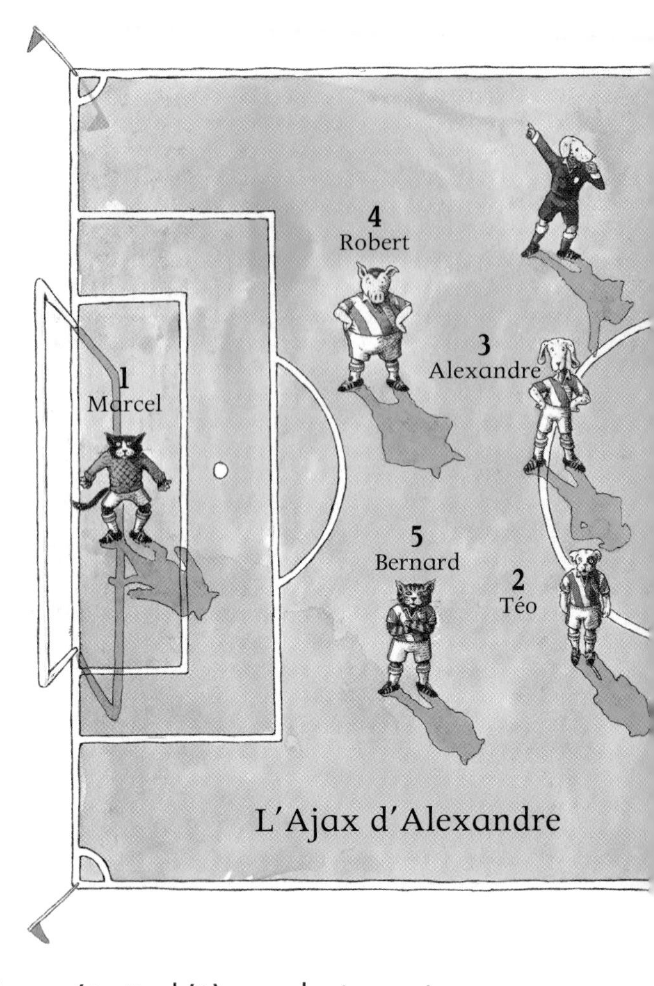

Le Réal d'Isidore était déjà sur le terrain en train de s'échauffer.

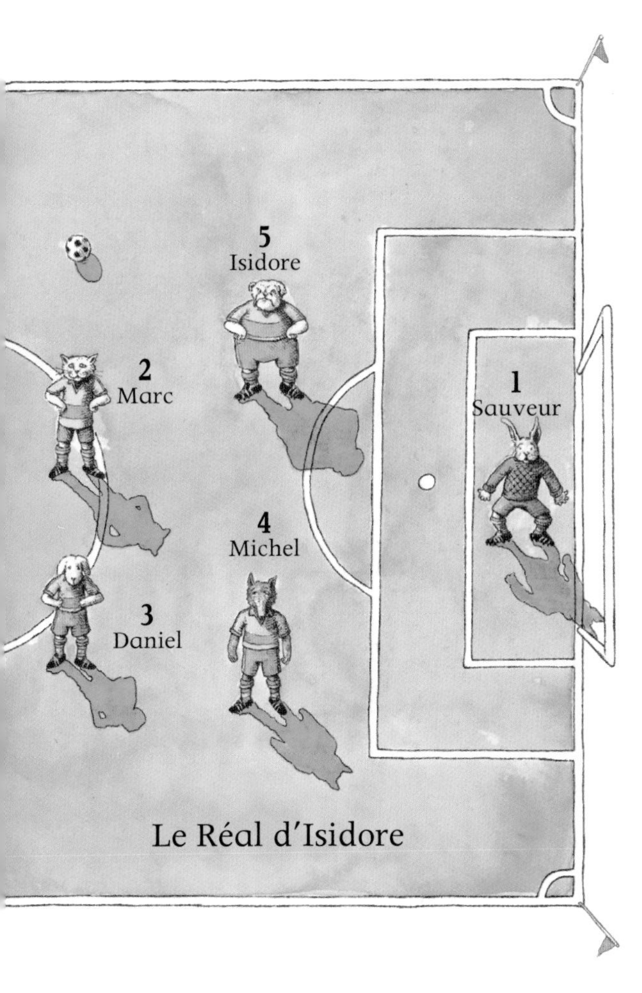

Bruno finit de lacer ses chaussures et se plaça devant la petite fenêtre du vestiaire pour assister au match.

4

L'arbitre siffla le coup d'envoi, c'était parti !
Le jeu s'engagea, rapide et soutenu,
et le ballon allait d'un camp à l'autre.
Amorti de la poitrine, tir instantané,
l'Ajax ouvrit le score.
Frappe du gauche dans la foulée,
lucarne, le Réal égalisa.
Crochet extérieur, tir de 25 mètres,
le Réal prit l'avantage. Oh ! non !
Remise de la tête, reprise de volée,
l'Ajax était mené 3-1.

Quel but !

Alexandre se faisait du souci. Et Bruno aussi ! Hourra ! Sur une série de têtes, l'Ajax réduisit son retard. Allez, les rouges, vous pouvez remonter. Oh ! pas de chance !

Oui, ça y est.
Quelle tête plongeante !
Trois partout !
– A-jax, A-jax, A-jax !
– Ré-al, Ré-al, Ré-al !
Faute ! Robert a été crocheté
par Isidore.
Penalty pour l'Ajax !!!

Le pauvre Robert
a pris un sérieux coup,
et on doit
le transporter hors
du terrain.
– Allez, Bruno,
cria Alexandre,
en piste !
Mets-toi dans les buts.

5

Pour Bruno, c'était la chance de sa vie !
Il respira profondément et entra
à petites foulées sur le terrain.
Il fut salué par une cascade de rires.
Il faut dire qu'il était comique dans son short
énorme et ses chaussures gigantesques !!!...

Hé Hé Hé
Ha Ha Ha
Ho Ho Ho
WAF WAF WAF
Ha Ha Ha
Ho Ho Ho
Ha Ha Ha
Hé Hé Hé
Ho Ho Ho Ho
Hé Hé Hé
Arrête, Bruno !
Non ! Bruno !

« Quelle injustice ! » se disait Bruno, quand
l'arbitre donna le signal pour tirer le penalty.
« Je vais leur montrer. Nous verrons
s'ils rient encore quand j'aurai marqué
le but ! » pensa Bruno.
Et il remonta tout le terrain pour cogner
de toutes ses forces dans le ballon…

Dans les buts !
Rigolo !

… qui atterrit dans les tribunes.
Ce fut l'explosion : les supporters du Réal riaient et se moquaient, les supporters de l'Ajax hurlaient de colère.
- Regarde ce que tu as fait ! Retourne dans les buts ! Tu vas nous faire perdre le match ! vociféra Alexandre.

Bruno se sentait couvert de honte, mais ce n'était pas le moment de ruminer sa faute, le Réal construisait attaque sur attaque.
Bientôt, personne ne se moqua plus de Bruno, car il réussit une série d'arrêts extraordinaires.

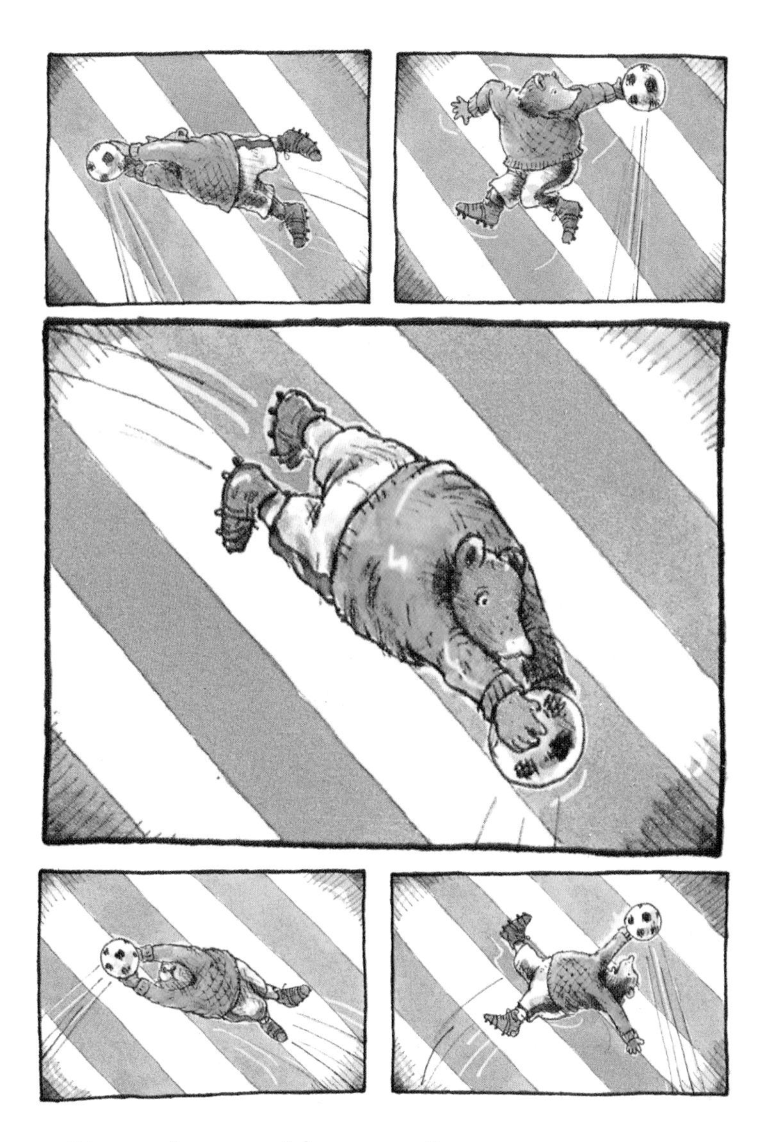

C'est alors qu'il commit une erreur épouvantable.

Il plongea dans les pieds d'Isidore mais rata le ballon et ne réussit qu'à clouer Isidore au sol. Il ne restait plus que deux minutes de jeu, et Bruno offrait à ses adversaires un penalty. Si Isidore marquait, le Réal allait gagner le match, et ce serait entièrement de la faute de Bruno. Il fallait éviter cela à tout prix !

Bruno se sentait tout petit. La cage lui semblait immense, la foule retenait son souffle.
Quant à Alexandre et son équipe, ils s'étaient retournés. Ils préféraient ne pas regarder !
Ils savaient qu'ils étaient battus : Isidore n'avait jamais raté un penalty de sa vie.

Coup de sifflet. L'aura ? L'aura pas ?

Un tonnerre d'acclamations s'éleva de la foule, mais les prouesses de Bruno ne s'arrêtèrent pas là ! Il envoya le ballon haut, très haut au-dessus

L'a-t-il ? Il l'a, Bruno a sauvé le but !!!

de la tête du gardien de but du Réal qui s'était avancé pour regarder tirer le coup de réparation, et le ballon vint atterrir au fond des filets.

Bru-no!
A-jax!
Bru-no!
Bru-no!
Bruno!!!
4-3!
Ce bon vieux Bruno!
Bruno?

Après un moment de stupeur, la foule
se déchaîna. L'arbitre siffla la fin du match.
Grâce à Bruno, l'Ajax d'Alexandre avait battu
le Réal d'Isidore par quatre buts à trois.
– Sacré vieux Bruno ! Tu es un vrai héros,
s'exclama Alexandre.
– Bru-no, Bru-no, Bru-no ! scandait la foule
et ils le portèrent en triomphe pour
un tour d'honneur.
Bruno vit ses parents l'acclamer
et il leur fit un signe de la main.
Comme ils étaient fiers de lui !
– Est-ce que vous voudrez encore
de moi au prochain match ? demanda Bruno.
– Tu parles, nous ne pourrions plus jouer
sans toi, répliqua Alexandre,
Et ceci fut le meilleur moment
de la journée de Bruno.

→ je lis tout seul

Pour les jeunes apprentis lecteurs
Niveau 2

n° 9 *Timioche*
par Julia Donaldson
et Axel Scheffler

n° 18 *Rendez-moi mes poux !*
par Pef

n° 21 *Le roi FootFoot*
par Alex Sanders

n° 26 *Le voleur de gommes*
par Alexia Delrieu
et Henri Fellner

n° 31 *Un chat de château*
par Janine Teisson
et Clément Devaux

n° 32 *C'est le néléchat !*
par Marie Leymarie
et Clotilde Perrin

n° 34 *Les tricots de Mireille l'Abeille*
par Antoon Krings

n° 36 *Les Pyjamasques au zoo*
par Romuald